Para Beka y Fran.

Guarden esto

siempre -

En el 13 de Junio

del año de las

Pandemias en

Miami,

Yo

F.L.

Parece una república
Primera edición 2020

Editor: Omar Villasana
Diseño de portada y maquetación: Elisa Orozco
Imagen de portada: *Teyler* de Flor Larios
Fotografías de interiores: Roberto Stadthagen Callejas
Fotografía del autor: Andrea Semplici

Las máscaras que ilustran este poemario fueron parte de la exhibición internacional "Máscaras, rostros de la rebelión" en Miami, Florida, el 22 de noviembre de 2020, organizada por la fundación Paz Nicaragua.

ISBN: 978-1-7341850-4-1

katakana editores corp
Weston FL 33331
katakanaeditores@gmail.com

Francisco Larios

Parece una república

katakana
editores

Índice

Macho Ratón, pintura sobre máscara de madera,
Alessandra Sequeira, Costa Rica.

en septiembre lo único que existe es abril

déjate querer

Es decir,
aceptarás este texto
impenetrable:
la mitad de la guerra está ganada,
el resto es una fácil profecía.

también caerán tus muros

A los héroes que derrumban muros y rescatan sueños

Los muros en ruinas camino del Monte Carmelo,
las llaves de Armagedón, de la perennidad:

la muralla china, la línea Maginot,
el Checkpoint Charlie;

los muros del gran Salomón son solo
una pared de lamentos. Osado Vallum Hadriani,
adelantado muro,
entre los bárbaros crece tu abandono;

y el gran Atlántico que
por los siglos
de los siglos nos cuidara;

las murallas invisibles de Dubrovnik y Gorgán;
y todas las fronteras

que la guerra apisona en su estampida;

los muros que erigen los que erigen las ruinas,
los muros que erigen los que erigen
el silencio de otros;

los muros
que su espanto diseña;

los muros
que su miedo imagina;

los muros que prohíben entrar,
los que prohíben salir;

tristes decrépitos túmulos de sombra,

entre los bárbaros
crece su abandono;

el horizonte cae y la luna apenas se sostiene,
los muros del Carmelo caerán también.

estaciones

Si ya abril no existe
Si el precio del maíz es alto
Si las lluvias de mayo llegan en julio y el precio del maíz
es alto
Si en agosto acaba la paciencia y las lluvias de mayo
llegan en julio y el precio
del maíz es alto
Si en septiembre lo único que existe es abril
Si deja de llover antes de tiempo y en octubre
la lluvia pesa en la memoria
Si un pesado recuerdo hace añorar septiembre
y el recuerdo
de lo casi vivido
Si el precio del maíz es alto
y todo está a punto de pasar

epigrama

En mi doble función
de espía y vigilado

nos delato:

volvimos,

desde toda
perspectiva

aunque
el tema estuviese
clausurado

al punto
de partida. 历

madre

Se que en estos momentos
nazco en algún mundo,

pero en otro,
caigo
herido de muerte.

Misterioso
el gesto de dolor
y el rojo

que desprende mi cuerpo,

y las gotas de plomo
que caen de la luz.

Misterioso
no ser

puños
azotando tambores,

sino
plumas

que cruzan
la levedad

Misteriosa la inútil espera
de un viento fuerte

desde otro mundo, y
desde otra guerra

para que arranque todo de raíz.

Madre, ya estoy adentro
Madre, hemos entrado
Madre, ¿hay salida?

péndulo

Un poeta lustra a diario sus botas,
sale descalzo a la calle. La poesía
no es asunto de pobres, ni de buen
pensar: si todos buscan no saber,
y el poeta es uno entre todos,
el poeta no busca. Tampoco se trata
de atrapar
verdades bellas,
mariposas silvestres
que dejan de sufrir cuando no vuelan. Enlazar
grácilmente su aleteo...
uno es capaz de probar
cualquier brebaje
que anuncien como cura.
Y así las mariposas
tejen la catedral vacía.
De un mundo a otro
flotan ecos. Cuando el péndulo cae,
llevan las botas pulidas
hasta el pie del altar.

criaturas

criatura fuerte es criatura frágil
águila en alas de hormiga,

breves
libélulas traen
la noticia del agua,

nerviosas
criaturas anuncian la fuerza
de la lluvia

en pequeñas gotas,

ellas
son la corriente,

fuerte
es lo que arrastran

y frágil
la torrencial
memoria
de lo que queda

coatl

para liberarme,
será crucificado
este poema,

gozoso, como el chillido de la puerta
¿lograremos entrar al arca con el canto
de las otras criaturas?

siempre quisimos su canto pero la mano
da calor y tala, brota el adiós y los abrazos.

ave de grueso plumaje o gorrión inseguro
flor y concreto erguido contra el viento
igual implacable bomba que callada ameba,

solo escapa con su muerte anónima
la escurridiza
mariposa

faltan rosas

Pocos saben que siembro un jardín.

Quienes lo ven, preguntan:

¿por qué aquí, en esta calle de pobres?

O hacen comentarios más hirientes, como:

faltan rosas.

Después se van:
el tiempo de alegrías

no debe malgastarse en
espejismos.

mañana

Toda mañana se alza
sobre la voluntad.

Toda voluntad
es un páramo
sobre otro páramo.

Toda belleza,
toda la luz,

nace de la madera
como un hongo,

y del páramo
como una ciudad;

y
sin
voluntad,

esta
extraña
incerteza

trae

todas
las mañanas

su
luz.

el vuelo

Se escapaba la idea
y había que

atraparla
al vuelo.

El vuelo
de las palomas

y el de las
ideas

termina
en el mismo
lugar,

aunque no
de la misma manera.

la casa en las afueras

La casa donde no viví quedaba en las afueras,
elevada sobre una roca simple y plana
que a nadie interesaba describir;
rodeada de un murito de piedras
que hacía pensar en futuros castillos,
como si los muros crecieran, y pasaran
de una niñez borrosa a una adolescencia florida
a una madurez severa,
a una vejez noble y respetada.
La casa estaba en pura soledad: desde su centro,
paredes de vidrio hacia el jardín seco y limpio.
Yo intentaba con desgano descifrar si ella quería.
Con desgano, porque era imposible que un sueño así,
apenas sueño, dejara de serlo; en la sala y en la luz,
entraba y salía un niño. Ella no hablaba.
Ni siquiera en la quietud del sótano a medio despoblar
hubo palabras; y entonces, entreabrió sus ojos; somnolienta,
parecía pedir más soledad.

La casa donde nunca viví aún existe,
Paso de cerca, casualmente, casi,
su jardín sigue seco, pero limpio,

el murito de piedra ha enmohecido sin crecer;
busco sus ojos somnolientos,
busco encontrar
la vida futura que ella tuvo,
y descubrir la luz jugando en su jardín;
pero no lo consigo:
yo no sé ver, ni
preguntar,
y ella no invita, ella es solo quietud
sobre la roca.

secuestro

Hay un tiempo,
            una estación
            una temporada
              para todo:
tus días son
las olas del mar. Y yo
soy el mar, y en mi mar
mis corrientes te llevan
hasta el fondo
de mí. 丙

oda a la pipa de Magritte

Me gustan los objetos que duermen
impasibles,
cuyos pechos se entregan a una
pausa perfecta.
Logran
que todo se detenga en la quietud,
subyugan
la claridad que los derrama
sobre el ojo
del curioso.
Y ahí la tienen:
su destello cuelga a mitad de camino;
su viaje, interrumpido,
y una clave:
respira.

recuerdo de padre y abuelo

Estas son las palabras
que vienen de mi padre
al llegar su noche,
recordando las noches de su padre
en León decimonónico,
noches oscuras de las casas
en torno al pequeño
claro de La Recolección.
Tres muchachos escapaban
de la casa del obispo, su tío,
con el padre del poeta Salomón y el hijo
de un empleado
a perseguir las quejumbres de la carreta nagua
que llevaban al pueblo
los ecos del miedo ancestral;
pero los niños, niños
que después fueron ancianos, y padres
de ancianos,
cruzaban esa noche
en busca de la noche.
Estos son los pocos momentos
en que mi abuelo

fue niño en la mente de mi padre,
y fue niño él, de su mano,
en el nervio de un recuerdo
que ondearía después por los sueños
como un velo blanco
por las calles de León y de Managua,
y de una ciudad
ajena, sin nombre, sin regreso.
Muchas veces
pregunté a mi padre
¿qué hacia mi abuelo en casa del tío obispo?
lejos de la hacienda de su padre
don Juan Marcos,
señor incontestable de todas
estas sombras.
Nunca supo mi padre responder,
o nunca quiso,
y mi abuelo
salió de aquella Nicaragua embrionaria,
de aquel milenario calor que ya
asomaba en los ojos de un poeta,
y del cual tendría yo que salir,
como un insignificante corolario. ▣

el general

El general cruzaba la selva.
La selva es hoy
polvo y pobrezas.
Todo es cuestión de esperar
en esta vida.
Él no lo supo.
Escogió
el momento que
creía suyo,
de tantos años joven habituado
a la insolencia.
Cruzó,
brújula en mano,
hasta el lugar que el sueño marcaba.

De la recóndita explosión
queda apenas una nota
en un diario extranjero.

"Managua, Nicaragua, Mayo 10, 1926
(Por A.P.)—Fernando Larios, líder de los
revolucionarios liberales que han estable-

cido su cuartel general en Bluefields nombra cónsules para representar a los revolucionarios en los Estados Unidos.
La sucursal de Bluefields del Banco Nacional de Nicaragua, de la que los revolucionarios presuntamente sustrajeron $161,000 dólares, reabrió sus puertas hoy."

Mi padre tendría que esperar un año
y casi cinco meses
para empezar a vivir
aquellos fuegos,

pero no esperó ni un segundo
para indignarse:

"esa noticia es un invento;
mi viejo nunca
habría robado un banco".

—No fue un robo criminal, sino que había que defender una causa.

—"No, son inventos. Mi viejo era íntegro" (aquí
se unen las voces de mi tío Bernardino y de mi tía Clotilde).

Mi preocupación, mientras tanto, era
estimar el valor actual de aquel dinero.

Tan poco noble es mi espíritu, tan Siglo XXI.

Ya todas las revoluciones han muerto, y todos
los viejos soñadores amenazan mi paz.

pesadilla en paraíso

en este árbol crecen ojos
de cabras inmoladas
en aquel se regenera
el lomo desollado de un toro;
el campo es ancho,
la justa ley vendimia la cereza,
el cocotero es amigo del sediento;
sabia la pesadilla: un paraíso.

el constructor de puentes

el constructor de puentes
mira el río erizarse,
lo cruza (el milagro
arácnido del alma)
pone su fe en la otra orilla, vuela
sobre rastros que ala
y deja
la margen atrás.

no conviene

Les dicen:
No conviene,
no es bueno
para la salud.

La contraindicación es radical, total:
Consumo cero, esperanza cero, tolerancia
cero. No conviene.
Que no añadan una coma; que respeten las señales.

Déjenlos en paz.
Dejen que rompan la pared.
Es una pared nada más.
La urdimbre de los astros tiene agujeros
que nadie denuncia.
La perfección divina convive con la muerte.
Todos quieren abrazar a un ángel.

Aunque no convenga a la pared,
a los planetas, a los ángeles, a la
perfección de Dios,
déjenlos decir
palabras que sin ellos
no existen.

Güegüense, pintura sobre máscara de madera,
Danilo Posada, Colombia

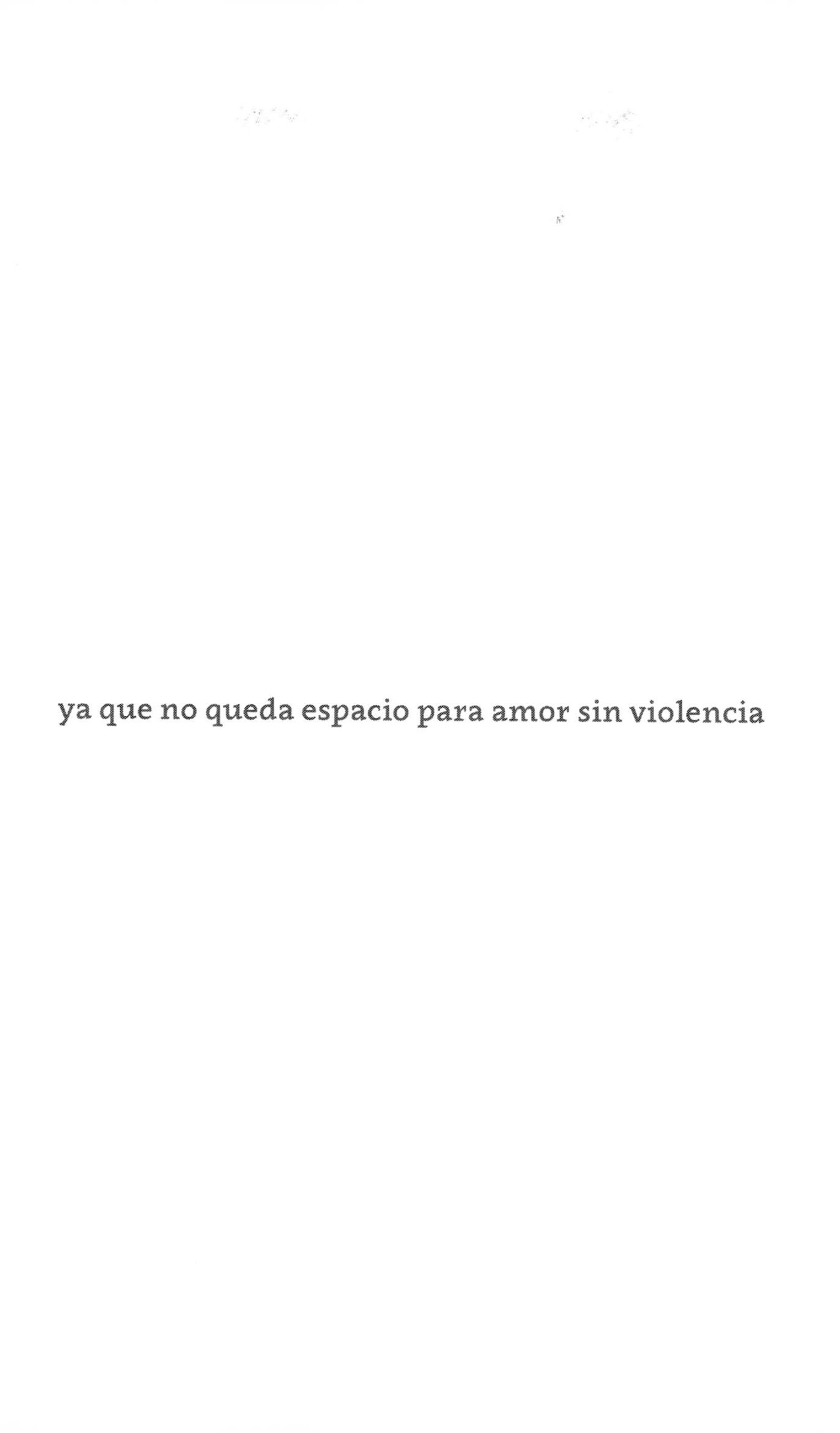

ya que no queda espacio para amor sin violencia

pero es tan bello ver fugarse los crepúsculos[1]

Unos dicen que las huestes de jinetes, otros que la infantería,
otros que una flota de barcos.
Pero yo digo que lo más hermoso sobre la oscura tierra
es aquello que uno ama.
SAFO

Ficticio, al lado triste de la irrealidad,
desde que habito la visión que escapa,
las miradas del mundo no me atañen:
los extraños protocolos de lo oscuro,
las imágenes, el brillo, el triunfo y amarguras.

Fanfarrias a la pena real, a los que viven,
a los que pueden perder de vista aquello
que han amado,
con dulce brevedad
y en silencio. 囧

[1] León de Greiff, "Tergiversaciones".

nam myōhō renge kyō

En recuerdo de Celina

En noche de terror
recito el mantra:

Nam Myōhō Renge Kyō,

Nam Myōhō Renge Kyō

la voz me dice que
no hay amor universal
ni conciencia ni terapia
ni gobernante austero que pronuncie un discurso
que ordene cancelar la guerra por razones
presupuestarias

por eso
le temo a mi propia paz.

Nam Myōhō Renge Kyō,

Nam Myōhō Renge Kyō

Nam Myōhō Renge Kyō,

Porque intuir milagros es nadar
contra la punta del cuerno

contra la sordera bruta del relámpago
y la oscura raíz de la tormenta 力

caudillo

veo tu espalda hermosa,
tu portentoso omóplato y cada pieza
de la osamenta un muro
:
me arrepiento de mi débil entrega

¡¿qué sabe mi padre?! *nada cambia, todo pasa,*
el mar hace espuelas de las olas

Tu omóplato me baña y me cobija.

vida y milagros de dos próceres

lo peor de ser
declarado héroe:
la gente cree en uno;
le encienden a uno
una antorcha en su país,
y lo aburren mortalmente
con discursos,
tan mortalmente que
después
de muerto uno
se aburre;
y acaba uno por creerse
nutriente de raíces
que llevan al cielo
el mensaje del pueblo el cual,
por noble gratitud,
desfila y lanza rosas
al camino del héroe,
eso sí, con toda
la prudencia
que amerita y los

cuidados
a que obliga
porque entonces,
si no, de lo contrario
Dios no lo quiera
habría no uno, sino dos
mártires eternos, en esta
pequeña patria de
nosotros.
Y eso
no sería bueno
para la patria. 力

cosas de muertos

Las cosas de los muertos atraen
a los muertos. Pero un día
los vivos sienten
un cálido toque en el hombro;
pausan, vuelven
la vista, esperan
no ver nada. Y no hay
nada que ver,
pero una lagartija
tiembla al pie del malinche,
al lado de la laguna dormida;
más que todo, hay silencio
—o casi silencio.

combate urbano

Cuando una bala avance entre dos cuerpos
y ciertos labios busquen, ¿cómo
te verás de pelo suelto, policía-muchacha?
Helénica, olmeca, rebelde,
sojuzgada tigresa de harén, reina incógnita,

ya que no queda espacio para amor sin violencia
te escupo a besos
por el hijo que espera sin saberlo en la casa bochorno
y porque me pregunto
si el estallido cesará en la memoria
de tus ojos.

Todavía no nos habla el emperador;
la emperatriz no pide cuentas;
hay tiempo por delante para
nuevas batallas.

Moriremos los dos y alguna
página blanca hará referencia
a tu historia y la mía,

como si de estatuaria se tratase
y un placer nos hiciese posar
con esta solemnidad pesada
en nuestras almas.

palabras de aserrín contra la censura

Por causa de Pilar Vélez

Hay demasiado viento
para leer un poema.

Los poemas son ajenos al viento.

El viento no puede poseerlos.

Porque nada aborrece morir
más que un poema,

ni teme más
ser poseído
que una idea que escapa.

oración del desterrado
(Tras las huellas de Ernesto Mejía Sánchez y Rupert Brooke)

Si muero en el exilio, desterradme también de vuestra memoria
ERNESTO MEJÍA SÁNCHEZ

If I should die, think only this of me:
That there's some corner of a foreign field
That is forever England.[2]
RUPERT BROOKE

A Daisy

Desterradme de la culpa sin demora, solo así
habrá un rincón donde estaréis conmigo

con mi patria con mi antiguo lugar reducido a demonios
sin patria.

No será donde estuve, tratando de soñar, fugitivo,
y brotó un árbol blanco, cansado de cenizas;

---

[2] *Si yo muero, solo piensen esto de mí:*
que hay un rincón en un campo extranjero
donde vive Inglaterra por siempre

donde lloré mientras cruzaba el puente hacia el sur
porque daban un racimo de sangre
al amor de la madre niña.

Desterradme si así queda
lugar para un valiente.

No es poco lo que pido no es pequeño el terror
No es poca la alegría ni el pesar de la espera.

Desterradme si así se abre la puerta del pequeño paraíso
y vuela la madre niña, libre por siempre. 歹

Quetzalcoatl

Llamaban desterrado a quien volvía

en la hora del bochorno, en la hora del viento y de la llama.

Llamaban derrotado a quien soñaba, y llamaban muerto al
renacido.

Llamaban utopía a la luz. Solo sabían
de victorias y derrotas en medio del horror.

Mientras más te conozco más me enamoro de tu alma.
Me enamoro del contrario de tu alma.
Me enamoro del pecado, nada me atrae más
que la herejía.

¿Hay que explicar el amor?

Entre todos los posibles asesinos
yo quiero ser el tuyo.

Ser piel y olor
de sacrilegio.

No creer ni en tu regreso, ni en tu partida.

Que otros celebren tu derrota en medio del horror.

Que no entiendan que nadie renace, que los muertos son ellos.

Que nosotros soñamos.

Y que sea la luz.

diálogos

No saben nada del día, pero arman
la noche con destreza,
la ilustran con brochazos;
hacen que haya incienso de celda en cada espera,
rocían palabras en fragmentos,
en sentencias dictadas desde el vértice;
de nada sirve que
una voz salte de pozo en pozo
como el eco
de una piedra,
de nada sirve
el sabor de la orina y de la queja,
con pudor lo apartan del encuentro;
la paciencia es madre de virtudes;
eso lo sabe el juez, el carcelero, y el
artista que decora el calabozo.
Aplausos,
digo yo.
¡Todos los premios!

que acabe de una vez
la función.

pausa metafísica para justificar nueve versos

más cerca de ser asesino
que de ser santo,
conviene administrar la distancia

blando abrazo de lo oscuro

rumoran liberarte
de una ambigua bala

Esa es
la empecinada trama
de la más profunda estrella. ▪

hermano

"Hermano, hicimos mierda este país."
Dijo esto después de diez años de gloria.
Dijo esto después de construir el paraíso, después de
expulsar del paraíso al pecador, después
de quitarle la fruta de la boca y pisotearla.
Todo esto tuvo que decirse diez años después, en una
cantina oscura de Managua.
Pero pudo haberse dicho después de un minuto, un siglo
atrás, o diez, en cualquier antro, o
cualquier templo, o a la sombra de cualquier pirámide,
"hermano,
hicimos mierda este mundo".
"Hermano
—me dijo—
recuerdo cómo te llamaban,
pero nunca supe tu nombre verdadero".
"Hermano
—le dije—
¿nos hemos visto antes?"

comunicado

Al que está cautivo
de su propia maldad
en la cárcel que él mismo construyera,

se avisa:

en todo lugar conspiran;
desde todas las casas te ven pasar.
Cuando salen a las calles, abren los labios rojos,
y sonríen, imaginan tu derrota.
Te enloquecen, te han enloquecido,
más te valdría aceptarlo y salir
del largo encierro;
entre sombras que recorren paredes
vienen por vos los labios carnosos,
los labios voraces,
los labios que no tienen disfraz.
¿No sería mejor
entregarte a su hambre?
Están en todos lados,
han domado

con su niebla las salidas,
no hay repliegue sin ellas,
no hay escape posible.
Son las medusas
de los labios de sangre, las mil medusas
rojas
(y Perseo con ellas).
¿No sería mejor que despertaras?

hamartia

El cura no puede tomar partido, lo suyo es la homilía;
El médico no puede tomar partido, lo suyo es la analgesia;
El ingeniero no puede tomar partido, lo suyo es la estructura;
El economista no puede tomar partido, lo suyo es
el libre comercio;
El músico no puede tomar partido, lo suyo es el crescendo;
El ventanero no puede tomar partido, lo suyo es la luz;
El tomatero no puede tomar partido, lo suyo es la albahaca;
El jardinero no puede tomar partido, lo suyo es la maleza;
El piloto no puede tomar partido, lo suyo es el avión.
El mecánico no puede tomar partido, lo suyo es el motor;
El partido no puede tomar partido, lo suyo es el partido.
El escritor no puede tomar partido, lo suyo es el pleonasmo.

le nouveau riche et la revolution

Las conquistas de la revolución:
¿Y tú me lo preguntas? 力

ay, temperantia

¿Tiene un hombre derecho a la gula?

¿Hay quien le niegue el plato extra, el dulce
después de la sal, el dulce
sobre el dulce?

¿Quién trae
al apetito
estos caprichos?

La línea del horizonte existe por la gula,
el mundo gira sobre sí, y avanza de noche
en medio de incontables luces.

¿Quién tiene el secreto que las silencie?
¿Quién trae certidumbre a semejante abandono?

¿Tiene el hombre derecho a la gula?
¿Tiene acaso otro camino que la gula?

sagrada familia

Nació de un padre y una madre a quienes
el amor
encontró desprevenidos.
En uno de sus juegos los llevó hasta la altura,
a dos que fueron
sordos por el golpe,
ateridos de dolor después.
A ellos, como a él, los destruía.
Y llegaron a amarse
con la fuerza de un nudo,
aunque hubieran nacido para ser
el uno contra el otro:
fuerza en síntesis no eran lo planeado;
y él era los dos, contra sí mismo.

oración universal

Dios de los colores: dame tus ojos.
Dios del entendimiento, dame una razón.
Dios de la razón: dame el humor.
Dios de la violencia, dame la justa oportunidad.
Dios de los trenes, dame un destino.
Dios de los momentos, dame momentos.
Dios de las estaciones, dame un tren.
Dios de la justicia, dame violencia.
Dios de los espacios interiores, dame puertas.
Dios del destino, dame un puente.
Dios de la fe, dame un puente.
Dios del humor, dame razón, un puente.
Dios de la duda, dame la fe, un sueño.
Dios del dolor, dame una puerta.
Dios
de los sueños,
dame un espacio interior
dame una puerta
dame violencia
dame el humor
dame el momento

dame la razón,
dame la duda,
dame la fe
dame un puente.
Que las hojas del otoño no conozcan
mi pedido.
Que el otoño se eche a volar.
Que el puente vuele.
Que vuelen las puertas.
Que vuelen los espacios interiores.
Que vuelen la violencia y los destinos.
Que la duda, la fe, la razón y el humor vuelen.
Que no vuelen las alas, que se queden.
Que sean los faros, y las olas, las tardes y
las naves que arriban,
las que vuelen.
Que si vuela la risa la acompañe un espacio interior
y una violencia.
Que las hojas no entiendan mi pedido.
Que el Dios de dioses no me tome en serio,
que no cierre las puertas, ni me niegue el sueño, ni

el humor, ni la violencia, ni la razón, ni la duda,
ni la fe; ni puentes, ni puertas, ni vuelos, ni olas, ni faros,
ni tardes;
que no me tome en serio;
que no borre con su niebla el puente; que bromeo.

cuando se vayan

Cuando salgan de su torre
que se lleven con ellos
su torre

Que se lleven sus ejércitos
sus antimotines
sus rifles de asalto y sus máscaras de noche.

Que nos dejen el aire.

el presidente de la república no cree en la república

¿Qué es la república?
El nuncio tiene su celda,
la vida tiene caprichos
y derechos.
De la mano del nuncio
perece una república
por el
derecho a un capricho
¿alguien objeta?
Es hermoso, hermoso preguntar.
Es pared si murmura
y si es eco, es la pared, y nada más.
El nuncio, que guarda su república,
lo sabe; en su celda llena de oraciones
e inquisiciones, lo sabe,
lo sabe, el nuncio dueño
de paredes, en la república que muere
¡En la republica! ¿Quién vio-la?
La vio, la ha visto, dicen, dicen.
La vio, la ha visto, dicen, dicen.
El presidente es todo ceremonia. Y los cantos,

loas en múltiples lenguas
a la república, a la república del nuncio.
Crece, se escucha, cuentan.
Crece, cuentan, se ha dicho, ¡escuchen!:
¡el coro de los ángeles crece!
En la república dicen:
¿Quién vio-la?
¿Quién vio la premonición en la pared?
¿Quién llena el coro
de otros cantos?
¿Quién llora?
Cuando un cometa cae, ¿quién reza?
El nuncio, el presidente,
la república, el derecho,
el capricho: ¡¿El capricho
del cometa es caer?!
En la celda lo espera la pared
de oraciones. Qué pena:
la república espera. Quién sabe
si mañana la vean.

perspectiva extrema

...Rigoberto
López Pérez se sienta sereno
a mi lado. Noto, viendo de reojo,
que lo siguen. El libro de notas vacío
que tiene en sus manos indica que espera,
por algo que vale la pena esperar. Lo dice también el traje de
lino, la corbata en perfecto nudo inglés y los zapatos de primera
comunión. Acepto que ahora me toca preguntar. Una calma
insospechada
nos hace compañía. Le hablo de Charlotte, del hijo del César,
de Sasha
Ulianov. ¿Qué te han dicho? ¿Cuántas veces puede uno
morirse de la
misma manera? Hay aliento de fiebre y la línea entre tierra
y mar se
hace menos turbia. La marea sube, baja, sube y baja,
y sube hasta
volverse lanza, hasta horadar el horizonte de punta a punta.
Una sombra que agachaba su vista retrocede; algo ha
visto. Delante de nosotros se abre el mar,

un canal de oro y una puerta
sellada, en el fondo, una
manija bermeja explota
en silencio, en un solo,
dilatado, lento,
destello.

leviatán

Erijo la muralla.
Busco en mí
la crueldad necesaria. ⊠

guerra y amor

Ella, desde la niebla:
me has dejado con olvido de quererte.

Él, desde la costa: volveré.

La guerra,
como el amor,
a espera de este momento.

Macho Ratón, pintura sobre máscara de madera,
Flor Larios, Nicaragua.

en este poema no hay esperanza para el verdugo

sueño con fantasmas

En una esquina de la oscuridad de Chile
Listo para ser devorado
Pierre Dubois grita ¡guevón! ante las balas
ante las voces, ante el miedo.
En un remoto
paraje
Pierre Dubois, Pierre Dubois,
me espera.

En una remota esquina de mis sueños
Neisy Ríos
arrastra su nombre hacia el olvido.
No alza su voz (de hecho,
no recuerdo su voz).
En un remoto
paraje
Neisy Ríos, Neisy Ríos
me espera.

De Pierre se ocuparán otros fantasmas. ¿Pero Neisy?
¿Cómo ayudarla

a evanescerse?
El tiempo se desata del tiempo, y
Neisy Ríos, Neisy
Ríos
espera.

¿Qué hacen
los santos del cielo
sino desatar?
Los ríos de sangre, los himnos
de fraternidad
desatados.
Neisy Ríos espera.

los hijos y la guerra

Los hijos
se encargarán de la guerra.
Yo soy padre,
y soy hijo;
marco el tiempo antes
de la próxima guerra.
Qué importante
el sentido del deber para
llenar las trincheras.
Deber de padre y de hijo,
en el tiempo
después de la guerra.
Con hábil
resignación atravesamos
las noches de frío.
Parecen
tener alma,
hijas y madres,
encargadas de su turno
en la historia del viento.

apología

Soñé que mataban a un hombre
por robar una manzana.
Era un hombre de tez oscura. ¿Quién
sino un hombre de tez oscura
roba una manzana?

Una manzana roja es
apenas un rubor.
¿Y qué rubor es manzana
sin un mártir?

El hombre tendido en la calle
nunca será
llamado mártir

para matar a [Innombrable] se necesita:

el fondo oscuro de una reliquia,
un epitafio enterrado en el lodo,
sin alma y sin país,
y quizás, por más incoherente
que parezca,
un poeta vegano, esclavo a su modo
de la carne;
porque una historia así merece recitarse
dondequiera que haya uno
o dos o más
reunidos en el nombre
de todos los que han de volver.
Eso finalmente haría morir a
[Innombrable]
si aún viviese: el deleite puro
del tedioso inventario
de todas las maldades del mundo,
y de la luz
que romperá los techos
como hacen las termitas
antes de la gotera. 力

Alepo

Los labios de un niño aguardan
su muerte en Alepo.
Una nube da sombra. Y pasa.

Todo va bien, la virtud de la paciencia
embellece el paisaje.

Quiero verte lloriquear sobre una foto; sea este el último
inodoro que funcione en la ciudad.

Las tripas revueltas de un cadáver cincelan el grafiti,
los labios dormidos, un momento
de parto, de aguarrás y sudor,
un brochazo que quiere ser mortal

—Todo tu vientre es oscuro
Todo en tu vientre es oscuro
Todo es oscuro en tu vientre.

réquiem para rey absurdo

Instrucciones para armar el réquiem

Observe el detalle de un cuadro de Magritte;
note la proporción entre verdad y absurdo.
Coloque las manos en su boca,
sonría sin cambiar de expresión, mire hacia el frente.
Compre una ensalada de arúgula. Si quiere,
puede llamarla ensalada de rúcula.
Lávese las manos con descuido.
Ignore la curvatura tenue en la muchacha,
descarte la piel de sus piernas,
el llamado de sus pies,
el piso empañado por sus huellas,
la lenta despedida de la miel; la lejanía en su mirada.
Recuerde: el rey absurdo no puede comprender la imagen.
Recuerde: el rey absurdo teje su última red. Inacabable red.
Y ya es penumbra.
Lance a la basura,
con seguro desgano,
estas instrucciones, y empiece:

Réquiem

Con un globito rojo por nariz
entro en tu templo.

Con las manos sucias toco tu cáliz.

Con mi perfil
perforo tu silueta.

Canto tu himno al revés.

Aplaudo a carcajadas.

Hago constar:

arúgula

es una palabra
que no viene al caso,

y es todo lo que te doy.

Instrucciones para desmontar el réquiem

Bote la arúgula o *rúcula* en la acera.
Dibuje en su mente el pudoroso arco del pie de la muchacha.
Deje que el denso dorado de su miel se encienda. Béselo.
Retire las manos de la boca, cierre los labios; a su sonrisa,
torpemente abandonada en la cuneta, hágala entrar de nuevo
en casa; deje que el denso dorado de su miel se encienda.
Béselo.
Deje que un chorro de agua fresca caiga por sus manos,
libres ahora, vacías.
Aplauda, calladamente,
y goce. 历

la casa de tres pisos

"... fuerzas "parapoliciales", acompañadas de agentes de la Policía, presuntamente prendieron fuego a la casa porque la familia se negó a prestar la parte alta del edificio para ubicar francotiradores y los amenazaron con disparar si salían de la casa mientras ardía en llamas."

NOTICIEROS TELEVISA;
FUENTE: EFE;
DESDE: MANAGUA, NICARAGUA
16 DE JUNIO DE 2018 02:45 PM CST

Un día, odian la casa del vecino, y la queman.

Hacen su rito mientras arden los cuerpos.

Una luz temblorosa
muerde las paredes,
las garras de la esfinge escapan.

Muere la criatura de sal en su intestino.

No será para ella que se escriba. Eso puedo jurarlo:
no será para ella que se escriba.

No habrá rastro de sal en el incendio.

Más bien hambre de tiempo, de su abrazo, de su cuna.

La herida es la ventana abierta y aromas cotidianos.

La herida es la hoja verde, la casa de tres pisos, los niños
que nacen y renacen,
los sueños que cuelgan de las nubes como nidos. ⊞

el tirano se acerca a la ventana

Dondequiera que estás, te espía el odio.
Quienquiera que en silencio te escucha, te maldice.
El reloj apenas
marca las horas que tarda en llegar la venganza.

La flor del perdón ya no es la flor; azul endrino es el reflejo
del charco en el desvelo.

Más inútil que nunca los hilos de la luna.
De qué sirve invocar a tu dios si ya

Tu sonrisa está muerta
Tu sonrisa está muerta ▣

Managua de polvo

A los que mueren sin entender quién los mata

El cielo tiene las cuencas vacías en Managua.
Salen guerreros de los barrios de polvo
La cena está lista
La vida son restos.
Hay más cielo que vida
las venas se hunden
Una vena que muere se recuerda
con raíz de nostalgia.
¡Mejor olvidar las nostalgias!
Hay más hambres
que nostalgias,
más barrios de polvo que cielos.
Cuentan que sus padres bajaron del monte
aunque en verdad
subieron a este paraíso,
su camino final a la muerte.
El cartel lo decía: puede haber más caminos
pero esta es la muerte que a ellos pertenece.
Lo sabe el cielo
de las cuencas vacías
en la Managua de los barrios de polvo

centro y pena
(para el niño Teyler)

"El niño Teyler Leonardo Lorío Navarrete, de 14 meses de edad,
fue asesinado la mañana de este sábado de un balazo en la cabeza
en una de las calles de Las Américas Uno en Managua,
en un ataque de paramilitares y policías...
La constancia de defunción extendida por el Hospital
Alemán Nicaragüense a la familia señalaría la causa de muerte
del bebé de 14 meses como "sospecha de suicidio"."
La Prensa, Nicaragua, 23 de junio de 2018

El centro espera
sin piedad

una lluvia de meteoros
en su centro.

Como todo es distancia,
y todo es centro,

nada borra el retrato
del niño.

Hay sueño, es madrugada,
no puedo dormir. ⊠

poema para ser leído en la antesala del infierno

(Álvaro Conrado fue asesinado cuando llevaba, a escondidas, agua a los universitarios que recogían víveres en la Catedral. Acababa de cumplir 15 años. Era músico, atleta y quería ser abogado. A él lo mató una bala de plomo.—La Prensa, 29 de Abril, 2018)

En este poema no hay redención para el verdugo.

En este poema se prepara
la venganza.

No será llamada justicia
porque ya para eso

es demasiado tarde.

Justo hubiese sido
apresarlos antes del crimen

y arrancarles
sus malas intenciones.

Justo hubiese sido
que los niños

pudieran andar por las calles
su niñez,

su adolescencia,
su alegría

        y los momentos

después melancólicos.

En este poema no hay esperanza para el verdugo.

Como no hubo esperanza en el techo
desde el cual

puso en la mira
la carita fresca de Álvaro Conrado.

Como no hubo esperanza en el piso de la HiLux
que acarreaba la muerte por las calles,

con fatal indulgencia

como quien arranca
hojitas a un madroño.

Ni la hubo en la celda
donde dijo al torturado:

"dale gracias
al comandante
que por él
salís vivo de aquí",

ni en la plaza medio vacía que
los ojos del comandante
llenaban de aplausos,

ni en la palabra amor,
más vacía entre sus labios
que la plaza,

como la palabra
revolución, y la palabra
solidaridad,
cadáveres que cuelgan de su boca en pudrición.

Este poema
espera al verdugo
como el infierno espera
al verdugo,

es la sombra que proyectan las llamas
que abren para él
sus fauces.

victoria

La paz gana
una escaramuza

Un fusil
carga
una muchacha.

Una muchacha
carga
un tanque.

Un fusil escapa.

Una guerra
muere aplastada
por una muchacha. 力

sueño de libertador

la noche gasta la vida y al liberar mis ojos
jamás encuentran algo que tenga su poder
PAUL ELUARD

Quiero darte la libertad
sin tu consentimiento.
Quiero enlistarte en la tropa de indomables rebeldes
sin tu permiso.
Quiero arrastrarte, empujarte hasta
la puerta de escape.
Quiero hacerte libre al margen de tu voluntad.
Quiero liberarte sin que lo sepas.

Beberás de tu libre albedrío.
Tu copa
arderá en manumisión. 力

apocalipsis

No desate el hombre
lo que la vida atare
con el hilo sarcástico
que teje
fronteras
y generaciones;

que pone rostros rubios
sobre pieles morenas,
sonrisas
entre malas intenciones.

vano es cada
intento de corte; el arco ha de
entre
cielo y maldades completarse.

el ermitaño, su paz a bacanales;
en un país lejano
poetiza el enviado del mal,
oraciones
Amén, murmura

No desate

Ya su momento habrá.
Amén– los cardenales.

paisaje contemporáneo

arenas movedizas se yerguen verticales,

antes de poder
completar una sonrisa
ya hay un sujeto
en aquella pantalla
empeñado
en hacernos odiar el despertar
con su recuento
de decretos y victorias
tales
que antes que lavarse los dientes
uno querría rompérselos ⊞

país

un país dura un minuto;
en cambio las raíces
nunca acaban de hundirse, roban
a la lengua cualquier dulce, dejan
zumbidos en el alma que uno trata
de acallar con otras voces ▣

poema semántico, poema de amor cuya belleza consiste en que únicamente el autor consigue ver su belleza; así dicen que es, según el canon de estas cosas, el amor.

Para la Flor

Me cambiaste la ética
y la estética. Borraste el borde superior
de la belleza: al explotar voló
como arenilla
contra el ojo del cielo.

Cambiaste mi sintaxis
y cambiaste la sintaxis
de lo demás.

Y una vez cambiada,
torciste de nuevo su camino;
la obligaste

a verme con sus ojos
confusos a los ojos.

Luego fuiste a la lógica, artera maniobra;
hacías girar las huellas al azar y así el camino circulaba como polvo cósmico; la huella por tanto no podía ser camino, ni nunca conducir a nada que no fuera una sublime, perfectamente armoniosa y caótica dispersión.

una mujer hermosa duerme

Cuando ella duerme,
solo entonces,
puede el cielo
cerrar los ojos
y dormir. 历

epílogo

Leo los labios de Rimbaud
murmurar
les floraisons lépreuses des vieux murs,

decido guardar
todos mis libros,
dejar de escribir

Pues vale la pena pensar
en floraciones leprosas
de muros ancianos.

Bellos son, ¿no es cierto?
muros que mueren de esperanza tantos siglos,
todavía

¿quién es la piedra ahora?

Sobre el autor

Francisco Larios, nicaragüense. Ha publicado los poemarios Cada Sol Repetido, anamá Ediciones, Managua, Nicaragua, Noviembre del 2010, *The Net in Sight*/La red ante los ojos, Editorial Rascacielos, Quito, Ecuador, 2015, La Isla de Whitman, Editorial Buenos Aires Poetry, Argentina, 2015, Sobre la vida breve de cualquier paraíso, Editorial 400 Elefantes, Nicaragua, 2017, más la plaquette bilingüe (inglés/castellano), Astronomía de un sueño/ *Astronomy of a Dream*, Carmina in minima, Barcelona, 2013. Seleccionó y tradujo al castellano Los hijos de Whitman – Poesía norteamericana en el siglo XXI (Valparaíso, México, 2017). Tradujo también el libro, ganador del Pulitzer, *3-Sections* (2013) del escritor estadounidense Vijay Seahadri [El sol detrás de la neblina, editorial Vaso Roto, España/México, 2019]. Escribe también narrativa y ensayo; maneja un blog [Ciudadanoequis.org]; es fundador y coeditor de Revista Abril [revistaabril.org]. Su poesía ha aparecido en revistas digitales e impresas en numerosos países y ha sido parcialmente traducida al italiano, griego, rumano, estonio e inglés.

Sello editorial sin fines de lucro.
Ediciones bilingües para enlazar culturas.

Non for profit publishing company.
Bilingual editions to bridge cultures

HISTORIA

Nuestra editorial katakana editores nace el 23 de abril de 2017 con la publicación de la antología bilingüe de autores mexicanos Tiempos Irredentos/Unrepentant Times con prólogo de la Premio Cervantes 2013 Elena Poniatowska Amor y se funda formalmente el día 31 de enero de 2018.

MISIÓN

Katakana editores tiene como misión conectar a lectores con escritores alrededor del mundo a través de (pero no limitado) las traducciones de sus obras al inglés, así como del inglés a otros idiomas como el español.

KATAKANA EDITORES CATALOGUE
CATALOGO KATAKANA EDITORES
KATAKANA EDITORES CATALOGUE
CATALOGO KATAKANA EDITORES
KATAKANA EDITORES CATALOGUE
CATALOGO KATAKANA EDITORES

KATAKANA EDITORES CATALOGUE
CATALOGO KATAKANA EDITORES

KATAKANA EDITORES CATALOGUE
CATALOGO KATAKANA EDITORES
KATAKANA EDITORES CATALOGUE
CATALOGO KATAKANA EDITORES
KATAKANA EDITORES CATALOGUE
CATALOGO KATAKANA EDITORES
KATAKANA EDITORES CATALOGUE
CATALOGO KATAKANA EDITORES
KATAKANA EDITORES CATALOGUE
CATALOGO KATAKANA EDITORES
KATAKANA EDITORES CATALOGUE
CATALOGO KATAKANA EDITORES
KATAKANA EDITORES CATALOGUE

POETRY CROSSOVER
(Bilingual poetry)

Among the Ruins/Entre las ruinas

(English/Spanish)
George Franklin (author).
Ximena Gómez (translator).
2018. 108 pages.
(Available in Kindle Format)
$12.00 usd ISBN-13: 978-1732114449

George Franklin's poems come from a deep understanding of human condition and beauty. Just like Tolstoi 's short story where Jesus finds that even a dead dog can have teeth as white as pearls, George enlightens us with images of crows, moles, flies or spiders. There is also a soothing element in his writing even in moments of despair that bind an ancient Chinese poet to a woman whose child cannot accept the terrible effects of old age. Among the Ruins/Entre las ruinas depicts a world that sometimes seems in the verge of collapse but that redeems itself under the readers' eyes, when we allow poetry speak for itself.

Los poemas de George Franklin provienen de un profundo conocimiento de la naturaleza humana y la belleza. Tal como los relatos de Tolstoi cuando Jesús es capaz de encontrar en un perro muerto dientes tan blancos como las perlas, George nos ilumina con imágenes de cuervos, topos, moscas o arañas. También existe un elemento reconfortante en su escritura, aún en momentos desesperanzadores, capaces de unir a un antiguo poeta chino con una mujer cuyo hijo no puede aceptar los efectos de la vejez. Among the Ruins/Entre las ruinas, nos muestra un mundo que por momentos parece encontrarse al borde del colapso pero que se redime bajo los ojos del lector cuando permitimos que la poesía hable por si misma. ䷀

Último día/Last Day

(Spanish/English)
Ximena Gomez (autor)
George Franklin (translator)
2019. 114 pages
$12.00 usd
ISBN-13: 978-1732114470

Al mundo de Último día de Ximena Gómez se llega por veredas que la autora traza con precisión y delicadeza magistrales, con un pincel a la vez exquisito y escatológico. Este es un libro escuchado en susurros, un inventario minucioso del espacio que alberga el duelo, la ausencia, y hasta el amor: pequeños ruidos, sombras que esbozan en callado forcejeo las figuras de los que están, y de los que se han ido.

Francisco Larios (poeta y traductor, Compilador de la antología de poetas norteamericanos del Siglo XXI Los hijos de Whitman). 五

We reach the world of Ximena Gómez's Last Day through paths that the author traces with masterful precision and delicacy, with a brushstroke that is both exquisite and eschatological. This is a book heard in whispers, a meticulous inventory of the space that houses mourning, absence, and even love: small noises, shadows that sketch in quiet struggle the figures of those who are present, and those who have gone.

Francisco Larios (poet and translator, compiler of the anthology of American poets of the XXI century Los hijos de Whitman) 五

FICTION CROSSOVER
(bilingual fiction)

Tiempos Irredentos/Unrepentant Times

(Spanish/English)
Short stories by Mexican authors
Omar Villasana (editor)
George Henson, Arthur M. Dixon, José Armando Garcia, Silvia Guzmán (translators).
2017. 124 pages.
$16.95 usd.
ISBN-13: 978-0692884133

Seis relatos violentos de autores mexicanos: Alberto Chimal, Erika Mergruen, Yuri Herrera, Isaí Moreno, Úrsula Fuentesberain, Lorea Canales.

"En cada una de las historias prevalece la originalidad y el gozo de la escritura, rasgos que distinguen a los autores, pero también está presente la violencia, móvil de cada uno de los relatos y que fue la consigna bajo la cual mi amigo Omar Villasana –compilador de la edición– convocó a los narradores... Esta misma antología se publicará como e-book, término al que todavía no me acostumbro pero me llena de alegría al saber que circulará de web en web y miles de internautas disfrutarán más allá de las fronteras, algo tan necesario en los tiempos actuales cuando algunos se afanan por levantar muros y cerrar puertas."

Elena Poniatowska Amor

Six violent short stories from mexican authors: Alberto Chimal, Erika Mergruen, Yuri Herrera, Isaí Moreno, Úrsula Fuentesberain, Lorea Canales.

"Originality and the joy of writing abound in these stories, features that define each of these writers. Also present is violence, the thread that runs through each of these stories and serves as the watchword around which my friend Omar Villasana—the editor of this edition—has brought together each of these authors... This anthology will also be published as an e-book, a term to which I am still not accustomed but one that fills me with joy, knowing that it will circulate from web to web and that thousands of Internet users will be able to enjoy beyond the confines of physical borders, something so necessary in modern times when there are those who strive to build walls and close doors."

Elena Poniatowska Amor

No son tantas las estrellas/There Are Not So Many Stars

(Spanish/English).
Isaí Moreno (author).
Arthur M. Dixon (translator).
2019. 225 pages.
(Available in Kindle Format)
$18.00 usd
ISBN-13: 978-1732114463

El horror de la razón en el siglo de las luces, el palimpsesto de ese horror en el siglo del desencanto. Hay ocasiones en que la literatura logra mucho más que representar una época y aprehende la locura que le anima. No son tantas las estrellas (edición definitiva de Pisot) es la obra rara que sabe contar la historia de ciertos hombres en los que ha quedado la marca indeleble de tiempos monstruosos. Es por ello y por su escritura limpia y erudita, un libro destinado a convertirse en objeto de culto.

Yuri Herrera (Autor de los Trabajos del reino y Señales que precederán al fin del mundo)

The horror of reason in the Age of Enlightenment, the palimpsest of that horror in the age of disenchantment. There are times when literature goes beyond representing an era and grasps the madness behind it. There Are Not So Many Stars (the definitive edition of Pisot) is that rare work that tells the story of certain men who bear the indelible mark of monstrous times. For this reason, and for its clean, erudite writing, this book is destined to become a cult object.

Yuri Herrera (author of Kingdom Cons and Signs Preceding the End of the World)

KATAKANA FICTION
(fiction translated to english)

Unrepentant Times: Short stories by Mexican authors.

Omar Villasana (editor).
George Henson, Arthur M. Dixon, Jose Armando Garcia, Silvia Guzman (translators).
2018. 70 pages.
(Available in Kindle Format)
$10.00 usd
ISBN-13: 978-1732114418

Six short stories by Mexican authors: Alberto Chimal, Erika Mergruen, Yuri Herrera, Isaí Moreno, Úrsula Fuentesberain and Lorea Canales.

"Originality and the joy of writing abound in these stories, fea-tures that define each of these writers. Also present is violence, the thread that runs through each of these stories and serves as the watchword around which my friend Omar Villasana —the editor of this edition— has brought together each of these authors... This anthology will also be published as an e-book, a term to which I am still not accustomed but one that fills me with joy, knowing that it will circulate from web to web and that thousands of Internet users will be able to enjoy beyond the confines of physical borders, something so necessary in modern times when there are those who strive to build walls and close doors."

Elena Poniatowska Amor

Immigration: The Contest (Bad News from The Island).

Carlos Gamez (author).
Arthur M. Dixon (translator).
2019. 132 pages.
(Available in Kindle Format)
$14.00 usd
ISBN-13: 978-1732114456

In a not-so-distant future, four immigrants will risk their lives in a "game" whose object is to reach the Promised Land once known as Europe. Carlos Gámez Pérez offers us this dystopian vision of a world that sometimes seems all too close to our own at a time when nationalisms are resurging around the globe.

The Most Fragile Objects.

George Henson (translator).
2020. 126 pages.
(Available in Kindle format).
$12.00 usd
ISBN-13: 978-1732114494

The Most Fragile Objects, Chimal's first novel published in translation, tells three stories (maybe two, or just one) of people living secret lives in early 21st-century Mexico. They seem to indulge in wanton sex and power fantasies. But is everything what it appears to be? With a style that never resorts to titillation and a plot structure in which the factual and the dubious chase each other, The Most Fragile Objects, is an unusual, dark take on the themes of power, love, imagination, and freedom. ▣

There Are Not So Many Stars

(definitive edition of Pisot)

Isai Moreno (author)
Arthur M. Dixon (translator)
2020. 114 pages
$12.00 usd
ISBN-13: 978-1734185010

The horror of reason in the Age of Enlightenment, the palimpsest of that horror in the age of disenchantment. There are times when literature goes beyond representing an era and grasps the madness behind it. There Are Not So Many Stars (the definitive edition of Pisot) is that rare work that tells the story of certain men who bear the indelible mark of monstrous times. For this reason, and for its clean, erudite writing, this book is destined to become a cult object.

Yuri Herrera (author of Kingdom Cons and Signs Preceding the End of the World)

COLECCIÓN PÉNDULO NAGARI

(Poesía en español)

miamimemata

Eduard Reboll 2017.
62 páginas.
$12.00 usd
ISBN-13: 978-1979104470

Poemas sutiles y propios. Localizados en el downtwon de Miami algunos. Fotografías y reflexiones urbanas que nos hablan del vivir aquí. Una observación casi antropológica del miamense de a pie. El mar y su ausencia, bajo el efecto lighthouse de Key Biscayne. E incluso, desde lo antagónico, hay una oda a la ciudad. Un cántico libre, una vez uno entiende como germina el día a día de los ciudadanos que la habitan en la bien llamada y querida Puerta de la Américas. ♦

Aquí[Ellas] en Miami

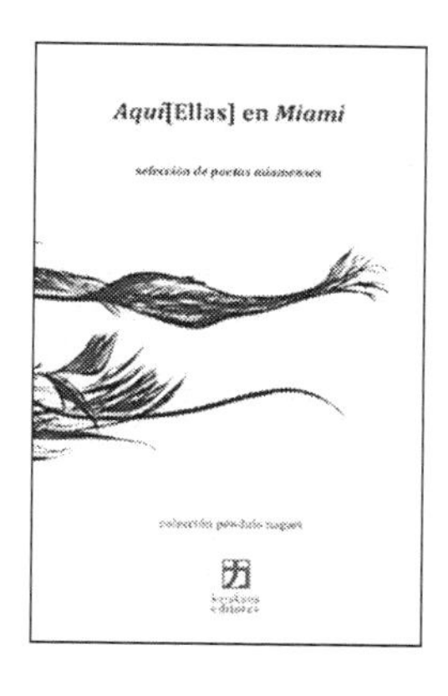

Alejandra Ferrazza, Gloria Milá de la Roca y Omar Villasana (editores).
2018. 126 páginas.
$16.00 usd
ISBN-13: 978-1732114432

Aquí[Ellas] en Miami está conformado por 24 poetas miamenses: Lourdes Vázquez, Rosie Inguanzo, Mia Leonin, Kelly Martínez, Odalys Interián, Martha Daza, Susana Biondini, Yosie Crespo, Lizette Espinosa, Glenda Galán, Teresa Cifuentes, Ana Kika, Judith Ghashghaie, Maricel Mayor Marsán, Alejandra Ferrazza, Ximena Gómez, Ena Columbié, Legna Rodríguez, María Juliana Villafañe, Gloria MiládelaRoca, Pilar Vélez, Beatriz Mendoza, Lidia Elena Caraballo y Rubí Arana.Aquí[Ellas] nos hablan sobre la nostalgia, el desamparo, el tiempo, el vacío, también la esperanza, el amor y la libertad. Recurren a la historia, la familia, a recuerdos que las han marcado, llegando estos a ser asideros vitales. La voz femenina se hace presente desde la visión particular de cada una de ellas. Algunos poemas nos muestran una cara de la ciudad que habitamos y que nos duele reconocer, mientras que en otros nos relatan la belleza de los paisajes y sus calles. También surgen aquellos lugares que han quedado en la memoria y que muchas veces quisieran volver a caminar.

COLECCIÓN HOLARASCA NAGARI

(Ficción en español)

Malas noticias desde la isla

Carlos Gámez.
2018.
136 páginas.
(Disponible también en formato Kindle)
$14.00 usd
ISBN-13: 978-1732114425

En un futuro no muy lejano, cuatro inmigrantes arriesgarán su vida en un "juego" donde la apuesta es alcanzar la Tierra Prometida de lo que otrora se llamara Europa. Carlos Gámez Pérez nos entrega esta visión distópica, en un mundo que a ratos tristemente parece demasiado próximo, ante el resurgimiento de los nacionalismos a nivel global.

Miami Blue y otras historias

Xalbador García.
2019. 132 páginas.
(Disponible también en formato Kindle)
$10.00 usd
ISBN-13: 978-1732114487

En el mapa desconocido de Miami existe un universo habitado por parias, seres marginales que se confunden en el pantano de asfalto.Miami Blue y otras historias de Xalbador García nos ofrece la fotografía instantánea de esos seres (inmigrantes indocumentados, prostitutas, exiliados cubanos) que nos descubren la realización no del sueño, sino de la pesadilla americana. 力

Las noventa Habanas.

Dainerys Machado Vento
2019. 131 páginas
(Disponible también en formato Kindle)
$10.00 usd
ISBN-13: 978-1734185003

La Habana no es una sino muchas, cambia con la luz del día y las tonalidades del mar. En Las noventa Habanas, Dainerys Machado Vento, crea, desde la mirada femenina de lo cotidiano, recuerdos, esos múltiples fragmentos que conforman el rompecabezas de la memoria, muestra, no una, sino múltiples ciudades con muros de agua, donde la insatisfacción en un ambiente opresivo escapa a lo que delimita una extensión geográfica.

COLECCIÓN ENSAYO NAGARI

(Ensayo, reseña, cronica, varia en español)

Bajo la luz de mi lámpara de Ikea.

Eduard Reboll. 2018. 246 páginas.
$14.00 usd.
ISBN-13: 978-1732114401

Es bajo la luz de la lámpara retratada en la portada de este libro que nacen los textos que el lector está a punto de develar. Escritos que, desde el año 2013 fueron publicados en la columna mensual Bajo la luz de mi lámpara de Ikea en nagarimagazine.com versión online de la revista Nagari. Al presentar este libro, he pretendido como editor mostrar una estructura diferente a la experiencia cronológica que vivió el autor y, de alguna forma, encontrar el hilo que guio durante los últimos cinco años la creación literaria de sus artículos.

Made in the USA
Columbia, SC
04 June 2020

98333916R00079